POULPE CRÉTIN

POULPE CRÉTIN

Glénat poche

1 POULPE CRÉTIN

C'est une belle journée d'été au bord de la mer : le soleil brille, les oiseaux chantent des chansons traditionnelles d'oiseaux, et le vieux monsieur qui tient la boutique juste en face de la plage est tout joyeux d'être content d'être de bonne humeur. Aujourd'hui, il va à la pêche, l'activité qu'il préfère le plus au monde, et il affiche un sourire ravi.

Cependant, il est loin de se douter que quatre lapins crétins vont lui ruiner sa journée, et le plus dingue, sans même s'approcher de lui. La crétinerie d'un lapin crétin, c'est comme une voiture télécommandée ou la télépathie, ça fonctionne aussi à distance…

BWAAAH!

En attendant, il sifflote en préparant ses plus beaux hameçons et pense aux poissons qu'il va attraper. Il les aime beaucoup, les poissons, parce que c'est vrai que c'est bon, et qu'aussi, contrairement à sa femme, ils ne passent pas leur temps à lui faire des reproches. C'est vrai, quoi ! Un poisson, quand on le pêche, il ne se plaint jamais, et ça, le vieux monsieur trouve que c'est super agréable pour les oreilles.

Sur la plage, un peu plus loin, se promènent quatre lapins crétins, en train de vivre sans doute le truc le plus drôle, le plus incroyable et le plus démentiel de leur vie : quand ils marchent dans le sable, ça fait *crouinch-crouinch* et c'est le bruit le plus rigolo qu'ils aient entendu depuis leur naissance ! À chaque fois que l'un d'eux fait un pas, tous les autres poussent des « bwaaah » de rire. C'est vrai quoi, *crouinch-crouinch*, c'est trop l'éclate…

Mais à un moment, l'un d'eux fait un pas, et très bizarrement, ça ne fait pas *crouinch-crouinch* mais *bwouuup*. Le lapin reste là, tout perdu et tout étonné, se demandant bien pourquoi ça fait *bwouuup* et pas *crouinch-crouinch*. Il pourrait passer des heures comme ça, tout bloqué du cerveau comme un DVD sur pause, mais par un miraculeux miracle, il pense à regarder par terre pour voir sur quoi il a bien pu marcher.

Les autres se penchent tous sur ce drôle de truc et ont beau chercher dans leurs souvenirs les plus lointains de leur vie, ce qui doit faire hier ou avant-hier, ils ne se rappellent pas avoir déjà vu ce genre de chose. La pauvre petite étoile de mer, elle, aimerait bien qu'on arrête de lui écraser la tronche parce que non seulement ça énerve, mais en plus ça lui fait sortir les yeux comme dans un film 3D.

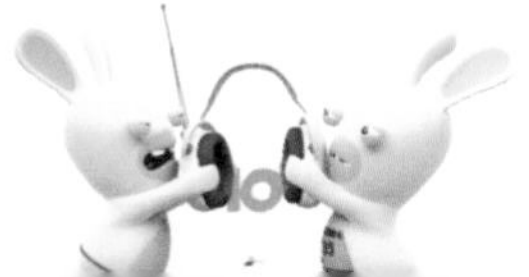

De son côté, le vieux monsieur a fini de préparer toutes ses affaires et sort, tout plein de motivation, persuadé qu'il va pêcher un requin-marteau. Mais sa femme, qui est aujourd'hui toute pas contente, comme elle ne l'était d'ailleurs pas hier, ni avant-hier, ni même le jour de sa naissance, lui ordonne de « laver la vitrine de la boutique et que ça brille, et que la pêche ce sera après et qu'un point c'est tout » et « blablabli », mais aussi « blablabla ». Lui, il ouvre la bouche comme s'il allait protester et se dit que de toute façon, comme d'habitude, il n'arrivera pas à négocier. Alors, autant le faire et être tranquille après.

Les lapins, eux, poussent des « bwaaah » de rigolade, tellement le jeu qu'ils ont inventé est fantastique. Ils appuient sur l'étoile de mer comme un batteur jouerait de la grosse caisse et ça lui fait sortir les yeux, puis rentrer, puis ressortir et ainsi de suite. La pauvre étoile, comme elle ne parle pas, le seul moyen qu'elle a trouvé pour leur faire comprendre que ça l'énervait, c'est de faire les gros yeux. Ce qui, dans ce cas précis, passe relativement inaperçu.

Soudain, un des lapins décide que ce joujou, il va le garder pour lui tout seul parce que c'est trop rigolo de lui faire sortir les yeux comme ça, quand on veut. Mais l'autre qui l'a découvert, il n'est pas content du tout de se le faire chiper ainsi, et tient plus que tout au monde à le récupérer. Alors chacun se met à tirer sur les branches du pauvre invertébré qui, décidément, ne passe pas la meilleure journée de sa vie.

L'étoile est tout étirée parce que aucun des lapins ne veut la laisser à l'autre. Chacun a envie d'avoir ce truc à yeux sortants rien que pour lui pour toute la vie, comme un enfant avec son doudou. Et puis, à un moment, l'un d'eux lâche l'animal qui part dans le ciel à une vitesse folle. On peut dire, dans ce cas, que c'est la première étoile de mer filante de l'histoire de la vie.

Un peu plus loin, devant sa boutique, le vieux monsieur est satisfait : la vitrine brille et il va pouvoir enfin aller pêcher. Il appelle sa femme, mais pendant qu'il a le dos tourné, il entend un *wwwiiiiiiiiizzzz* suivi d'un *sploch* qui, comme chacun sait, sont les bruits caractéristiques que fait une étoile de mer qui vole avant de s'écraser contre une vitrine.

Le pauvre invertébré, tout assommé, se laisse glisser par terre tout doucement, en laissant plein de traces et en faisant de cette vitrine la plus sale de toutes les boutiques des environs.

La femme, lorsqu'elle arrive, elle regarde son mari, elle regarde la vitrine, elle regarde encore son mari et se demande s'il ne serait pas en train de lui faire une blague, tellement cette devanture n'a rien de propre. Le vieux monsieur n'a même pas le temps d'ouvrir la bouche que sa femme, avec son air super sévère de madame pas contente, lui dit de « recommencer » et de « frotter pour de vrai » et aussi qu'elle n'aime pas ça quand on se fiche d'elle et encore tout un tas de « blablabli ».

En marmonnant un truc du genre « roooooopffffff pas envie moi de nettoyer encore, moi je veux aller pêcher rooooopfff », le vieux monsieur recommence l'opération « vitre transparente ». C'est là qu'il découvre la pauvre étoile de mer, et comprend le pourquoi du comment de la saleté. Tout pas content, il l'attrape comme un ninja (à part que les ninjas ont de vraies étoiles, sinon ce seraient des ninjas marins) et la balance super fort sans la moindre délicatesse pour un retour à l'expéditeur en mode avion de chasse.

L'étoile, elle se dit qu'avec un peu de chance elle va retomber dans l'eau et enfin retourner à sa vie paisible avec tous ses copains crustacés, mollusques et autres poissons. Mais ce n'est décidément pas son jour de chance : elle atterrit sur la tête d'un lapin, à qui ça fait un genre de chapeau trop démentiel. Quand les autres voient ça, ils poussent des « bwaaah » d'admiration, tellement ils aimeraient, comme lui, être au top de la mode marine.

Mais dans cette histoire, il n'y a pas que des lapins crétins qui martyrisent des étoiles de mer, pas que des étoiles de mer qui salissent bien malgré elles des vitrines de vieux messieurs, et pas que de vieux messieurs qui se font embêter par leur femme toute pas contente. Il y a aussi un homme dans sa voiture, qui roule comme un fou sans respecter du tout le Code de la route. Cela étant peut-être dû au fait qu'il vient de s'évader de prison, et que toutes les polices du pays sont à sa poursuite. Lancé à toute vitesse, il prend la direction de la plage…

Pendant ce temps, les lapins ont trouvé plein d'étoiles et se sont lancés dans le premier défilé de mode crétine de l'histoire de la plage. Ils se trouvent trop canon dans leurs costumes trop la classe.

Et puis l'un d'eux fait une apparition quasiment divine, tellement il est encore plus merveilleux que les autres. Il faut dire que ce poulpe sur la tête lui donne un sacré côté rebelle. Le poulpe, lui, n'est pas du tout content de se retrouver là, lui qui poulpait encore tranquillement il y a peu. Les autres lapins, tout jaloux, trouvent que, maintenant, leurs étoiles de mer sont trop nulles et les balancent au loin. Très loin…

Le vieux monsieur, il vient de terminer son nettoyage pour la deuxième fois et en a un peu assez de passer son temps à chasser les taches plutôt qu'à pêcher des poissons. Il va chercher sa femme pour lui montrer le résultat, et c'est à ce moment précis qu'on entend trois *wwwiiiiiiiiizzzz* suivis de trois *sploch*.

Et quand la vieille dame arrive, elle tape un scandale trois fois plus puissant que le précédent, tellement la vitrine est trois fois plus sale. Le monsieur soupire très fort car ça commence à lui chauffer la tête de perdre son temps ici.

Le poulpe aussi en a assez. Plein les tentacules que ces quatre crétins s'amusent avec lui comme s'il n'était qu'un vulgaire jouet ! En plus, ils n'arrêtent pas de faire des « bwaaaah » super fort bien agaçants pour les oreilles...

Emporté par la colère, il se met en mode mollusque ninja et balance plein de baffes, non pas dans tous les sens et n'importe comment, mais précisément en plein dans la tronche des lapins tous catapultés par une petite correction un peu méritée quand même.

Les lapins, on peut en penser tout ce qu'on veut, mais il faut avouer qu'ils sont courageux. Parce que dès qu'ils se prennent une tarte, ils se relèvent et retournent affronter le poulpe fatal ! Cela dit, ce n'est peut-être pas du courage, c'est peut-être tout simplement de la crétinerie profonde. En tout cas, le mollusque se fait un plaisir de leur faire claquer ses tentacules en pleine poire à chaque fois qu'ils s'approchent de lui.

Finalement, pour maîtriser ce poulpe en folie, ils s'unissent comme presque les doigts d'une main et lui attrapent les tentacules qu'ils tirent de toutes leurs forces. Un poulpe, c'est quand même vachement élastique.

Et quand les lapins le lâchent, le pauvre décolle comme une fusée et s'envole tout là-haut dans le ciel comme un feu d'artifice, puis redescend. Et ça sent l'atterrissage pas du tout en douceur.

Le vieux monsieur, lui, en a assez. Il a frotté sa vitrine si fort qu'elle pourrait facilement être nommée aux Oscars de la propreté, tellement elle brille de mille feux. Il s'apprête à prévenir sa femme mais entend un *wiiiiiiiz* dans son dos. Il se retourne et pousse un cri d'horreur lorsqu'il aperçoit un ovni ! Et puis, il plisse les yeux et se rend compte que ce qui descend du ciel est en réalité… un poulpe ?! Et qui file à toute allure vers sa belle vitrine toute propre.

Alors, énervé par la colère, quand le mollusque arrive, il sort une super-prise de karaté qu'il a apprise il y a cent ans, quand il était jeune, et le poulpe repart de plus belle en ayant un peu la sensation d'être une boule de flipper.

Et c'est l'évadé de prison qui croit être victime d'une hallucination quand, poursuivi par la police et lancé à 100 à l'heure, il voit le mollusque tomber du ciel, à travers les nuages, pour s'écraser sur son pare-brise. En plus, conduire avec un fruit de mer géant sur le pare-brise, tout le monde sait que c'est très difficile.

Pendant ce temps, le vieux monsieur file à la pêche en prenant bien soin de ne plus prévenir sa femme qui, de toute façon, aurait trouvé tout un tas de reproches à lui faire.

Et comme il débranche son sonotone, quand l'évadé de prison fait une sortie de route et défonce complètement la vitrine toute propre du magasin, il ne se retourne même pas. Bon, au moins, comme ça, elle ne pourra plus se salir, cette satanée vitrine ! Sonné, l'évadé se rend à la police, finalement heureux de retourner en prison parce qu'au moins là-bas, il n'y a pas de poulpes volants…

Les lapins, eux, ne se soucient guère de toutes les catastrophes qu'ils ont pu provoquer. Ils sont, à cet instant, fascinés par le lapin qui avait le poulpe sur lui et dont les ventouses ont laissé sur son corps plein de traces super bizarres. Persuadés qu'il a attrapé une maladie rare, ils poussent des « bwaaah » de joie parce que ça, c'est sans doute le truc le plus drôle, le plus incroyable et le plus démentiel qu'ils ont vécu de leur vie !

2 BRAQUAGE CRÉTIN

Dans la rue, quelques badauds sont attroupés devant un joueur de bonneteau. Le principe de ce jeu est de cacher une balle sous un gobelet que l'on mélange rapidement avec d'autres gobelets. Ensuite, il faut tout simplement retrouver la balle... Enfin, ce n'est pas si simple que ça, car si les joueurs de bonneteau sont très doués pour ces tours de passe-passe, ils sont aussi très forts pour embobiner les gens.

Les lapins crétins qui assistent au spectacle n'ont pas besoin de trucage pour se faire embobiner. Eux qui pensent déjà que la pluie, c'est de la magie, imaginez ce qu'ils peuvent ressentir à ce moment-là ! Chaque fois que la balle disparaît d'un gobelet pour réapparaître sous un autre, ils poussent à l'unisson des « bwaaah » d'admiration totale et ont leurs petits yeux qui s'arrondissent d'étonnement, d'émerveillement et de crétinerie.

Un lapin se mêle alors de ce qui ne le regarde pas et soulève tous les gobelets. Comme il fallait s'y attendre, la balle tombe et se met à rouler vers son destin. Il lui court après, un peu comme dans les films, comme si un policier de choc poursuivait un bandit très dangereux.

Sauf que là, c'est un lapin tout crétin qui court après une balle pas très méchante et qui risque de continuer à rouler pendant tout plein de temps, étant donné que la rue est super longue et super en pente. Heureusement que la Terre n'est pas plate, sinon il courrait jusqu'à tomber dans le cosmos infini.

À un moment, le lapin l'a presque attrapée. Presque mais pas non plus, parce que c'est super dur de courir après cette balle ET de s'en emparer. C'est soit l'un, soit l'autre, mais les deux en même temps, c'est trop d'informations pour son cerveau qui risque de prendre feu, voire d'exploser à cause de la surchauffe. Heureusement, la balle rebondit contre un poteau, puis se glisse dans un soupirail pour finir sa course dans une cave…

Le lapin ne se rappelle plus vraiment pourquoi il court après cette balle, mais maintenant, c'est la chose qu'il désire le plus au monde. Cette balle, il l'aime et il est prêt à se damner pour l'avoir. En même temps, c'est bête, parce que l'enfer, c'est nul. On ne profite plus ni des balles ni de rien d'autre. Il s'introduit délicatement dans le soupirail, puis se casse la figure dans un énorme *badaboum* en rebondissant sur tous les cartons, et se cogne la tête bien fort contre une caisse en bois bien dure.

Il se relève tout sonné du cerveau lorsqu'il assiste à un phénomène surnaturel, incroyable, étrange, mais surtout bizarre : la porte de la cave s'ouvre et apparaissent trois autres lapins ! Un rose, un bleu et un marron. Légèrement différents, car plus grands, plus gros, plus colorés mais ça, le lapin crétin, il est crétin, alors il se dit que si ce sont des lapins, ce sont des lapins et puis c'est tout.

Ce qu'il ne comprend pas et ne comprendra qu'à la seule condition qu'il se décrétinise, c'est que sous leurs masques, ces trois-là sont de redoutables braqueurs de banque. Enfin, eux estiment être redoutables, car en réalité, ils sont certainement les plus nuls de la Terre. Ils se sont quand même fait arrêter 243 fois sur les 243 coups qu'ils ont tentés. Preuve, s'il en fallait une, qu'ils sont ceinture noire d'idiotie : ils sont persuadés que ce lapin tout blanc et tout petit est un membre en plus qui va les aider à faire le braquage.

En attendant, ils doivent justement se préparer pour ce coup qu'ils s'apprêtent à faire aujourd'hui. Le lapin marron, qui a l'air d'être le chef, déplie le plan de la banque et demande à son équipe de se concentrer, « parce que c'est un moment important et qu'il s'agirait de ne pas se retrouver une fois de plus derrière les barreaux ».

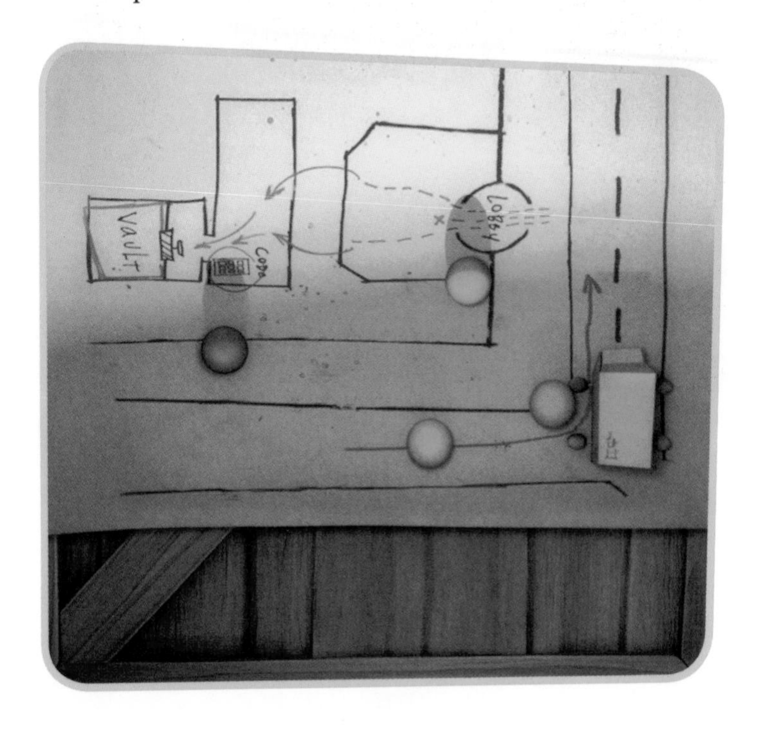

Tout le monde répond « OK, boss », sauf un, qui fait « bwaaah » et qui ne comprend pas vraiment ce qui se passe, mais qui trouve trop chouette d'avoir de nouveaux copains de plus ou moins toutes les couleurs de l'arc-en-ciel.

Le chef donne à présent le déroulement exact de ce qu'il imagine : lapin bleu va conduire la camionnette et restera garé, moteur allumé, devant la banque pendant que lapin rose, lapin blanc et lui-même sauteront du véhicule et fonceront dans l'établissement. Après avoir fait s'agenouiller les clients et les employés au sol, il faudra obtenir le code du coffre-fort auprès du directeur.

Ouvrir la porte de ce coffre ne sera pas le plus difficile, c'est surtout après que ça se corse. En effet, des rayons laser ultramodernes barreront le chemin et il faudra être très agile pour passer à travers sans les toucher. Au premier contact, toutes les polices de la ville seront sur place en moins d'une minute. Et puis, il suffira d'embarquer l'argent, remonter dans le camion et prendre la poudre d'escampette.

Tout ça ne devrait pas prendre plus de deux minutes. Le mot d'ordre est de ne surtout pas utiliser la force, ni la violence.

Le lapin crétin a alors une illumination et comprend ce qui se passe : ces lapins tout colorés sont en train d'organiser… une journée jeux ! Et rien que pour lui en plus ! C'est vraiment trop chouette et il en pousse un « bwaaah » de joie. Trop content, il embarque avec cette super-équipe dans le camion, ravi d'avoir trouvé des nouveaux copains aussi sympas.

Le camion se gare devant la banque et ce sera là la seule chose qui se passera comme le chef l'a imaginée, car à partir de maintenant, tout va aller de travers. Parce qu'en plus d'être des calamités de bandits trop nuls, il y a un lapin crétin dans l'équipe. Ils partent donc avec un sérieux handicap. C'était le plus mauvais gang de la terre, c'est à présent le plus mauvais du système solaire.

Les lapins marron et rose surgissent du camion et foncent droit dans la banque. Le lapin crétin surgit aussi, mais se casse la figure très fort sur le sol très dur. Peut-être croyait-il que le jeu avait commencé et qu'il fallait sauter en parachute ? Lorsqu'il se relève, un peu assommé et un peu plus crétin qu'avant, il aperçoit un copain et pousse un « bwaaah » pour l'inviter à sa super-journée jeux. L'autre accepte avec plaisir, étant donné qu'il n'a rien à faire durant les cent prochaines années.

À l'intérieur de la banque, les bandits ont ordonné aux clients de s'agenouiller, les mains sur la tête. Quand le lapin crétin entre avec son copain et voit tous ces gens alignés, ça lui confirme ce que son instinct crétin lui avait dit : ce sont bel et bien des jeux ! Là, par exemple, c'est une partie de saute-mouton...

Le vigile de la banque, pendant que les voleurs ont le dos tourné, sort discrètement son arme. C'est à ce moment-là que le lapin crétin, qui s'était lancé dans un saute-mouton frénétique, se fait un peu emporter par son élan et sa joie crétine et atterrit en catastrophe sur la tête du vigile, qu'il assomme… Ce n'est pas encore « tout est bien qui finit bien » mais au moins, cette vilaine arme ne servira pas, et c'est tant mieux.

Et le gang dans tout ça ? Peut-être que si on devait lui donner un nom officiel, ce serait le gang des lapins voleurs crétins ? Parce que s'ils ont fait une école de braquage, ils ne devaient pas être les premiers de la classe. Pour preuve, le lapin rose saute par-dessus le comptoir et se casse la figure dans un gros *badaboum*, devant les lapins crétins morts de rire, qui se disent que cette journée avec leurs nouveaux copains est vraiment trop rigolote.

BWAAAH!

Et le festival du grand n'importe quoi continue. Quand le lapin rose se relève, son chef lui envoie un sac vide pour qu'il le remplisse d'argent. Un lapin crétin se dit alors que là, le jeu, c'est de jeter des trucs sur le lapin rose ! Trop motivé, il lui balance à la figure son fusil ! Car oui, c'était un lapin qui avait un fusil… qui est en réalité une pompe à vélo trouvée dans la cave. L'autre se la prend en pleine tête et retombe. Il est venu chercher de l'argent, mais pour l'instant, il récolte plutôt des bosses.

Le temps presse et le lapin rose doit très vite reprendre ses esprits. Il lui faut à présent vider le petit coffre du guichet et remettre l'argent au lapin blanc qui, lui, doit le glisser dans le sac. Mais le lapin crétin, lorsqu'il reçoit les liasses de billets, il les envoie à son copain qui les range comme il faut dans un autre coffre…

Quelle équipe de choc !

Quand le lapin rose attrape le sac, qu'il imagine être rempli de billets, il reste là tout surpris car il réalise qu'il est en fait rempli de rien. Il commence à se demander si participer à ce coup était vraiment une bonne idée et s'il a choisi les bons « collègues ». Surtout que le petit tout blanc qui ne parle pas, ou plutôt qui fait des « bwaaah », paraît quand même un peu étrange.

Mais il faut à présent s'attaquer au plus important : l'énorme coffre-fort, là où se trouvent des sacs remplis à craquer d'argent. Ce qui permettrait aux bandits de prendre définitivement leur retraite. Le lapin rose s'approche du directeur et lui dit d'un air qu'il veut le plus méchant possible « Donnez-moi le code du coffre et vite » mais le directeur répond juste « Mmmhhhh ». Alors, l'autre, un peu surpris, lui repose la question, à laquelle il obtient la même réponse étrange.

Le bandit met un moment à comprendre pourquoi cet homme, pourtant directeur d'une banque, n'arrive pas à s'exprimer correctement. Puis, après avoir fait chauffer son cerveau, il réalise que c'est parce qu'il a un scotch sur la bouche et que forcément, pour parler, ce n'est pas du tout pratique. Avec la délicatesse d'un éléphant, le bandit le lui arrache et obtient enfin le précieux code. Dire que ces bandits sont nuls, c'est encore être très loin de la vérité...

Aidé du lapin crétin (peut-on vraiment appeler ça de l'aide ?), le lapin rose fonce en direction du coffre-fort. Il doit se concentrer pour cette partie : la plus délicate de l'opération. Si ouvrir la porte blindée est facile, il y a derrière les lasers ultramodernes.

Le lapin rose, tout doucement, se faufile et, comme par miracle, n'en touche aucun. Il n'y a plus qu'à se servir et filer ! Vont-ils finalement réussir leur coup ? Vont-ils cette fois-ci éviter la prison ? Eh bien non, car c'était sans compter le lapin crétin qui trouve trop rigolo de jouer avec ces drôles de rayons qui disparaissent quand on passe la patte dessus.

Quand l'alarme se déclenche, tous les lapins (les faux, ceux déguisés) et les vrais (ceux tout crétins) se mettent à paniquer. Les premiers, parce qu'ils ont peur d'aller une fois de plus en prison, les autres, parce que l'alarme leur fait super mal aux oreilles. Les voleurs tentent de fuir par derrière, mais les policiers leur tombent dessus en soupirant un truc du genre « ppffff, encore vous ? ».

Les lapins crétins, eux, repartent ravis d'avoir passé une si belle journée aussi rigolote. Heureux, ils reprennent leur route vers leur destin crétin en poussant un « bwaaah » de satisfaction. Et puis l'un donne sans faire exprès un coup de pied dans une balle, et les deux se lancent à sa poursuite. La vie, c'est comme leur crétinerie : un éternel recommencement…

TARMAC CRÉTIN

Assis sur une poubelle, deux lapins crétins sont tout heureux de la vie. Ils tournent la tête en même temps, à droite, à gauche, encore à droite, encore à gauche, tout en poussant des « bwaaaah » pleins de joie et de bonheur. Que peut-il bien leur arriver ? Ont-ils un torticolis qui les rendrait tout contents ? Pratiquent-ils de la natation synchronisée de la tête en milieu non aquatique ? Non… Ils sont tout simplement en pleine admiration crétine devant deux filles qui jouent au tennis !

Les lapins, c'est la première fois de leur vie qu'ils voient ce sport. Quoique ce ne soit même pas sûr puisque si ça se trouve, du tennis, ils en ont vu hier mais ça fait un peu loin à se souvenir pour leur cerveau.

Et puis soudain, l'un d'eux s'enflamme carrément un peu trop dans sa tête : il saute de joie dans les airs en ne retombant pas du tout sur ses pattes, mais dans la benne à ordures, devant son copain qui ne se précipite pas du tout pour l'aider et qui pousse des « bwaaah » de moquerie.

L'autre ressort pourtant tout content de son expédition au pays des poubelles. En effet, il a découvert un trésor inimaginable de beauté : une poêle.

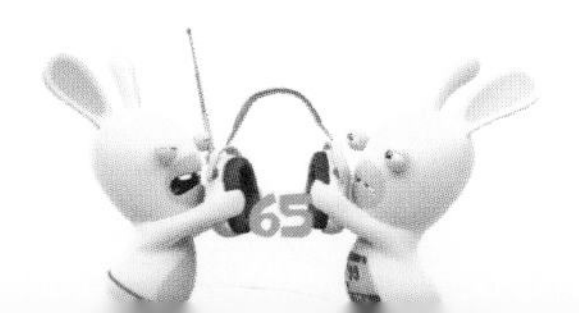

Tout abîmée, toute gondolée, toute tordue et que, si elle était là, c'est sûrement parce qu'elle ne devait plus rien cuire du tout, même pas un œuf. Mais de ça, il s'en fiche car il est persuadé que c'est une magnifique raquette de tennis trop moderne. Il pousse un « bwaaah » de joie car il va pouvoir aller jouer à son nouveau sport favori tandis que l'autre pousse un « bwaaaah » de tristesse, tout malheureux de ne pas avoir de raquette à lui. Il reste là, tout seul, et toutes les larmes du monde lui montent dans les yeux.

Voyant son copain tout déprimé, le lapin à poêle l'appelle et lui désigne quelque chose dans le sac d'une des filles : une raquette ! L'autre accourt et attrape le précieux objet et, tel le roi Arthur qui retire son épée de la pierre, il la brandit en l'air, tout fier d'avoir sa propre raquette à lui. Et tant pis si ce n'en est pas exactement une vraie, le lapin crétin ne s'arrête pas à ce genre de détail futile.

Les deux se lancent alors dans une partie endiablée, et si surprenant que cela puisse paraître, ils s'avèrent être plutôt bons joueurs. En plus, tout le monde sait que jouer avec un tuba ou une poêle au tennis, c'est vraiment pas évident.

À chaque coup donné, ils poussent des « bwwwwaaaaaAAAAaaaaahhhhh » très longs, tout pleins de souffrance et de super efforts surhumains. Un peu comme le font les vrais joueurs, en fait…

Le match est très serré : il y a deux sets partout à zéro pour chacun des deux lapins, et pour marquer le point final, le lapin à poêle prend tout l'élan du monde et toute la force de l'univers pour monter très haut et faire un super-smash de la puissance de l'éclair cosmique. L'autre, il pousse un « bwaaah » d'admiration en ouvrant grand la bouche de béatitude. Ce qui est peut-être une erreur parce que la balle, propulsée comme une Formule 1, atterrit dans son gosier pas du tout en douceur.

Le lapin avaleur de balle, s'il le pouvait, il pousserait un « bwaaah » de dégoûtation. S'il le pouvait, il braillerait des « bwaaah » de martyr, comme quoi c'est insupportable ce qui lui arrive. S'il le pouvait, il beuglerait des « bwaaah » de nausée fatale, tellement c'est la plus affreuse des situations dans laquelle il se trouve. Oui, s'il le pouvait, il ferait tout ça… Mais là, il ne peut pas, parce qu'il a une balle de tennis super coincée dans la bouche.

L'autre, il se dit qu'il doit aider son copain et faire sortir cette balle tout en douceur. D'une part pour l'aider, et d'autre part parce que c'est la seule qu'ils possèdent et que ça risque d'être compliqué de jouer avec une balle enrobée d'un lapin. Il se poste derrière son copain, comme un golfeur, et lui donne un énorme coup de poêle sur les fesses. Ça fait un énorme *PAF* et, par logique crétine, le lapin se transforme en canon surpuissant et la balle est propulsée très loin, tout là-bas dans le ciel…

Les deux lui courent après sans regarder où ils vont. En même temps, vu qu'ils ne savent pas lire, le panneau « Aéroport, piste de décollage, défense absolue d'entrer », ça ne les aurait pas vraiment arrêtés. L'un d'eux pousse un « bwaaah » de joie quand il aperçoit la balle, là-bas, au beau milieu de cette drôle de grosse route en goudron. Ils ne se rendent pas compte que les gros avions qui passent sur cette piste peuvent les réduire en purée crétine. De toute façon, ce qui compte pour eux, c'est de récupérer leur balle et c'est vrai que ça vaut vraiment le coup de risquer sa vie pour ça.

Mais s'ils sont pleins de joie après avoir récupéré leur précieuse balle, ils sont également pleins de tristesse car ils ont laissé leur poêle et leur tuba sur le court de tennis. Ils essaient de jouer avec les pattes, mais ce n'est vraiment pas très rigolo. Et c'est là que l'un d'eux aperçoit exactement ce qu'il leur faut…

Le jeune qui est censé assurer la sécurité de ce petit aéroport et également diriger les avions sur la piste, n'est pas exactement en train de travailler comme un acharné, étant donné qu'il est en train de dormir. De toute manière, même quand il est réveillé, il est aussi dynamique qu'un escargot du troisième âge. Profitant de son sommeil, les lapins lui subtilisent ce qu'ils pensent être deux magnifiques raquettes de tennis, qui sont en réalité les petits panneaux servant à diriger les avions. Quand la machine crétine est en marche, rien ne peut l'arrêter.

Un cockpit d'avion, c'est très haut et d'où ils sont, les pilotes n'aperçoivent du sol que les panneaux qui leur indiquent sur quelle piste faire décoller leurs engins. Ils sont loin de s'imaginer que ceux qui les manipulent actuellement, ce sont deux lapins crétins en train de faire un tennis. Alors ils font rouler leurs avions là où on leur dit d'aller, c'est-à-dire à peu près n'importe où.

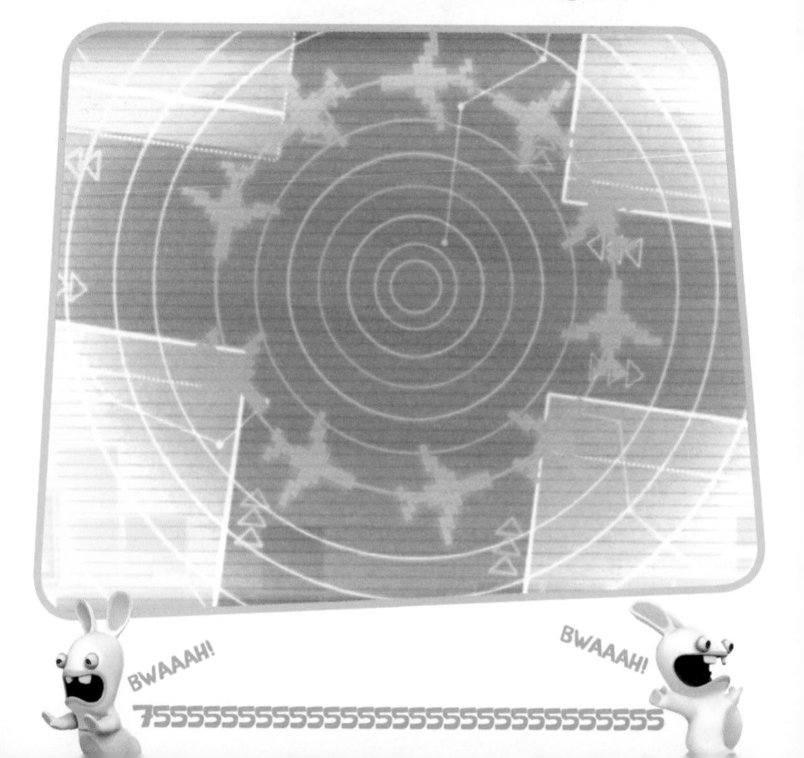

Dans la tour de contrôle, lorsque le chef de l'aéroport constate sur son écran radar que tous les avions font le petit train, il se frotte les yeux, tellement il se dit que ce n'est pas possible, puis réalise, effaré, que c'est bien la vérité vraie. Alors, il pique une colère noire et attrape son talkie-walkie.

Le jeune qui dort sur son petit camion fait un rêve des plus agréables : il est sur une île déserte, au bord d'une plage paradisiaque, l'eau va et vient, lui chatouillant les orteils, et il s'apprête à ramasser une noix de coco lorsque, soudain, il entend un cochon hurler. Surpris, il se demande ce qu'un cochon peut bien faire ici, sur cette plage. Sauf qu'en réalité, c'est son chef qui hurle dans son casque ! Le jeune se réveille en sursaut tout mollement.

Le chef demande en criant pas du tout poliment « C'est quoi ce chaos sur la piste ? » et lui dit qu'il a « intérêt à régler ça tout de suite » ou sinon il sera renvoyé et encore plein d'autres trucs qui font mal aux tympans. Alors le jeune fait « Pffff, ouais c'est bon quoi j'y vais quoi ça va » et découvre la cause du bazar : de drôles de bestioles en train de jouer au tennis avec les panneaux de signalisation.

Si ces lapins n'avaient pas mis cette pagaille, il aurait pu connaître la fin de son super-rêve et ça le met dans une colère folle. Enfin, plutôt une colère molle.

Il s'approche d'eux et leur arrache les panneaux des pattes, puis remonte dans sa petite voiture et s'en va. Les lapins poussent des « bwaaaah » de mécontentement et, tels des agents secrets, se faufilent dans la remorque remplie de valises pour récupérer leur bien.

Mais une fois à bord, ils oublient complètement ce qu'ils font là. Ils décident alors de se lancer dans une autre activité super rigolote : le ski nautique sur piste d'aéroport. Et peu importe s'il n'y a ni ski, ni nautique. Une valise accrochée à une corde, le tout relié à la remorque, fera l'affaire.

Pour mettre un peu de piquant dans tout ça, le lapin resté sur la remorque a la très intelligente idée de jeter les valises sur le lapin surfeur, et les deux poussent des « bwaaah » de rire parce que c'est vrai que c'est rigolo, pour l'un de tout balancer pardessus bord, et pour l'autre, de s'amuser à tout éviter comme dans un jeu vidéo.

Et le jeune qui conduit, il n'entend rien, car dans son casque, il a mis du hard rock satanique à fond, ce qu'il trouve d'ailleurs bien plus agréable que les hurlements de son chef.

Quand il se gare devant le dépôt des bagages, le chef qui l'attend a sa tête super en colère. Il regarde le jeune, il regarde la remorque, il regarde la piste, il regarde le jeune d'un air très méchant. L'autre répond tout mollement et tout pas distinctement « Ben quoi qu'est-ce qu'il y a encore pfff ? », et ça, ça fait exploser le chef qui hurle qu'il est « renvoyé » et qu'il en a « vu des employés nuls, mais que c'était rien » à côté de lui.

Le jeune, il fait sa tête de jeune qui ne comprend pas, et c'est quand il aperçoit la remorque toute vide et la piste toute pleine de valises qu'il réalise l'ampleur du désastre.

Pendant ce temps, les lapins en profitent pour se faufiler dans le hangar à bagages et décident, après avoir fait un billard géant avec une valise à roulettes, de s'intéresser à quelque chose de, disons, plus intéressant...

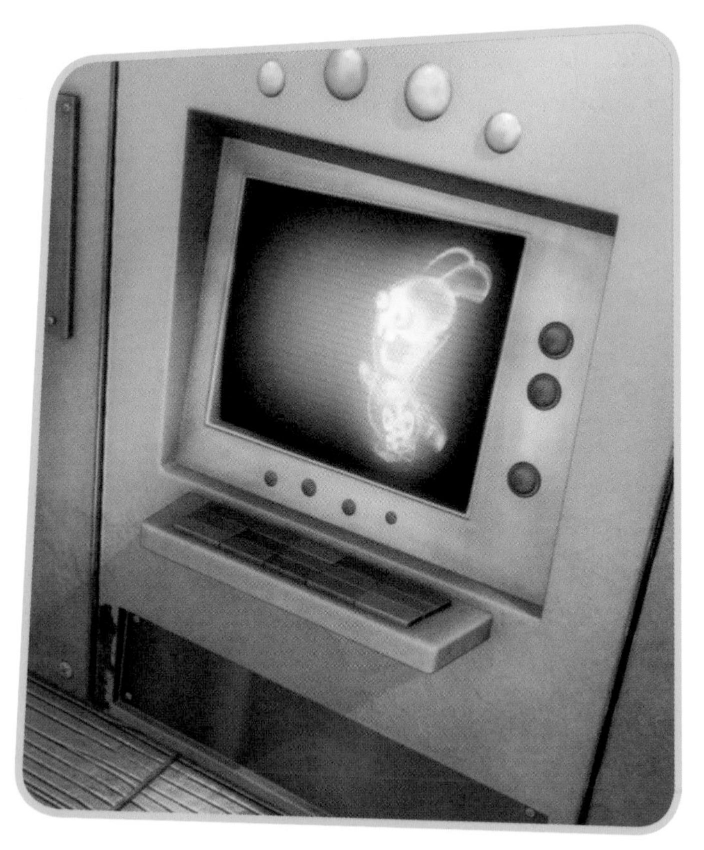

Le scanner dans lequel on passe les valises des voyageurs. Ce truc trop rigolo avec lequel on peut voir à travers !

Attiré par ce raffut, le chef pénètre dans le hangar. Il faut préciser que lorsqu'il se met en colère, il a une certaine tendance à ne pas réfléchir. Et là, de voir ces deux lapins, qui ont déjà mis un sacré bazar, faire les imbéciles dans l'appareil qui a coûté le prix d'un avion, ça l'énerve encore plus, et du coup, il réfléchit encore moins. Il pénètre à l'intérieur de la machine pour en chasser les deux intrus.

Mais si une valise ou même un lapin rentre facilement dans cet appareil, c'est légèrement différent pour le chef qui a mangé beaucoup trop de chocolat ces derniers temps et qui a un gros ventre tout rond comme un tonneau. Du coup, il doit forcer comme un fou et parvient malgré tout à rentrer dans le scanner... pendant que les lapins en sortent.

Et ça les amuse beaucoup, ce qu'ils voient sur l'écran, parce que eux, ils ne se rendent pas compte que c'est un monsieur qui est là, tout coincé. Ils sont persuadés que c'est un jeu vidéo et comme ils ont très envie d'y jouer, ils appuient sur tous les boutons en même temps. Ils actionnent le tapis roulant qui avance, recule, avance, recule et le chef de l'aéroport pousse des beuglements de cauchemar, ce qui fait vraiment beaucoup rire les lapins.

Finalement, le chef se décoince de manière douce en sautant comme un bouchon de champagne et en s'écrasant contre le mur. De rage, il attrape les deux lapins par les oreilles et décide de les mettre dans un container qu'il enverra en Amérique, en Belgique ou même en Inde, peu importe ! Il veut juste que ces deux crétins soient expédiés le plus loin possible.

Pas de chance, le container qu'il ouvre n'est pas vide. Il est même plein à craquer, rempli de… balles de tennis. Et c'est une avalanche de balles qui se déclenche, pour le plus grand bonheur des lapins !

TABLE DES MATIÈRES

THE LAPINS CRÉTINS

LA COLLECTION
QUI FAIT
BWAAAAH !!!

Visuels non contractuels

DÉJÀ DISPONIBLES

TOMES 5 ET 6 À PARAÎTRE
EN NOVEMBRE 2014

© 2014, Glénat

PARTAGE LES NOUVELLES AVENTURES
HILARANTES DES HÉROS LES PLUS CRÉTINS !

LES LAPINS CRÉTINS
Invasion
La série TV PARTIE 1

ÇA VA DEBWAAAAAAHTER !!!!

EN DVD
ET SUR pluzz VAD
vidéo à la demande

© 2013 Ubisoft Motion Pictures Rabbids. Tous Droits Reservés.

francetv distribution

3 Lu do.

SOIS PLUS CRÉTIN
QUE LES LAPINS
ET FAIS DU BRUIT !!!

La série TV
PARTIE 2

PACK SONORE
BWAAAH
BWAAAH

APPUIE ICI

LA SÉRIE TV PARTIE 2
EN COFFRET DVD ÉDITION LIMITÉE
ET SUR pluzz VAD
vidéo à la demande

francetv distribution

3 Ludo

© 2014 Ubisoft Entertainment. All Rights Reserved. Lapins Crétins, Ubisoft and the Ubisoft logo are trademarks of Ubisoft Entertainment in the U.S. and/or other countries.

Glénat Poche est une collection dirigée par Fabrice Le Jean.

Textes : Fabrice Ravier

Édition : Joséphine Lacasse
Maquette : Benjamin Rouffiac

© 2014, Éditions Glénat
Couvent Sainte-Cécile
37, rue Servan - 38000 Grenoble

ISBN : 978-2-344-00143-1 / 001
Dépôt légal juin 2014
Loi n°49-956 du 16 juillet 1949
sur les publications destinées à la jeunesse.
Tous droits réservés pour tous pays.

Achevé d'imprimer en france en mai 2014 par Pollina - L68378,
sur papier provenant de forêts gérées de manière durable.